NOUVELLES
Histoires
drôles

8

Texte : Jeanne Olivier
Illustration de la couverture :
Philippe Germain

Nouvelles Histoires drôles n° 8
Illustration de la couverture : Philippe Germain
Conception graphique de la couverture : Michel Têtu
© Les éditions Héritage inc. 1999
Tous droits réservés

Dépôts légaux : 2e trimestre 1999
Bibliothèque nationale du Québec
Bibliothèque nationale du Canada

ISBN : 2-7625-0844-4
Imprimé au Canada

Les éditions Héritage inc.
300, rue Arran
Saint-Lambert (Québec) J4R 1K5
Téléphone : (514) 875-0327
Télécopieur : (450) 672-5448
Courriel : info@editionsheritage.com

*À tous ceux
qui aiment bien rigoler!*

J. O.

Le patron rentre chez lui après le travail :

— Quelle journée ! L'ordinateur était en panne et j'ai été obligé d'écrire et de compter moi-même !

●

Jean-Marc vient de perdre une dent et pleure à chaudes larmes.

— Pourquoi pleures-tu ? lui demande sa mère. Ne t'inquiète pas, elle va repousser !

— Peut-être, mais pas pour souper !

●

Comment font les marins pour s'endormir dans un sous-marin ?

Ils ferment les yeux !

●

Qui fut le premier dentiste de la Terre ?

Adam Carrier.

●

— Un homme conduit un camion noir. Ses phares sont éteints. Il n'y a pas de lune dans le ciel. Une femme tout de noir vêtue traverse la rue. Comment le conducteur du camion peut-il la voir ?

— Je ne sais pas !

— Pas de problème, c'est le jour !

●

Deux correspondantes s'écrivent :

— Je vais dans une école anglaise.

— Ah bon, répond son amie, moi je vais dans une école en brique !

●

Qu'est-ce que le volcan dit à son amie la montagne ?

J'espère que la fumée ne vous dérange pas trop !

●

Qu'est-ce qu'on obtient quand on croise un cactus avec une bicyclette ?

Une crevaison !

●

Que dit le lion amoureux à la lionne ?
Nous sommes félins pour l'autre.

•

Stéphane se promenait tranquillement dans la rue quand un homme lui donne un de ces coups de pied dans le derrière !

— Hé ! Vous ! Êtes-vous complètement fou ?

— Oui. Ça vous dérange ?

•

Madame Sabourin s'apprête à monter dans l'avion.

— Vous avez votre billet, madame ?

— Un billet ? Non. Je n'en achète plus, je ne gagne jamais !

•

Monique revient de l'école.

— Combien as-tu eu dans ta dictée aujourd'hui ? lui demande sa mère.

— Dix sur dix, maman !

Le lendemain, à son retour de l'école, sa mère lui pose la même question.

— Dix sur dix, répond encore Monique.

Après une semaine de dictées parfaites, sa mère commence à avoir des doutes. Elle se procure donc un détecteur de mensonges et attend que Monique rentre de l'école.

— Puis, lui demande sa mère, comment a été la dictée, aujourd'hui ?

— Dix sur dix, maman.

« Bip !... Bip !... Bip !... » fait le détecteur.

— Et toi, maman, combien avais-tu dans tes dictées, quand tu avais mon âge ?

— Moi ? Dix sur dix, voyons !

« Bip ! Bip ! Bip ! Bip ! Bip ! Bip ! »

•

Jérémie arrive à l'école avec une nouvelle montre.

— C'est bien, dit le professeur, comme ça tu vas pouvoir être à l'heure à l'école !

— Euh... Non, pas vraiment. Mais je vais savoir exactement de combien de minutes je suis en retard !

•

— Sais-tu comment s'appelle la Chinoise la plus riche du monde ?
— Non.
— Sing Ton Shek.

•

— Connais-tu la différence entre un chien et une puce ?
— Qu'est-ce que c'est ?
— Un chien peut avoir des puces, mais une puce ne peut avoir de chiens !

•

La mère : Sabrina, ne t'approche pas du gros chien !
Sabrina : Pourquoi ?
La mère : Il pourrait te mordre.
Sabrina : Pourquoi ?
La mère : Parce qu'il ne te connaît pas.

Sabrina : Pas de danger, alors, je lui ai dit mon nom !

•

— Qu'est-ce qu'on crie pour le départ des courses de cochons anglais ?
— One, two, truies !

•

— Sais-tu avec quoi on lave le plancher des ruches ?
— Non.
— Avec une vadrouille abeille !

•

Ding ! Dong !
— Papa, il y a quelqu'un à la porte qui fait une collecte pour la piscine municipale !
— Donne-lui une couple de verres d'eau !

•

J'ai trois yeux, 72 dents, sept nez et cinq oreilles. Que suis-je ?
Vraiment très laid.

•

À la librairie :

— Bonjour madame, dit le vendeur. Je peux vous aider ?

— Oui, je cherche un livre de cuisine.

— Nous en avons pour tous les goûts ! Un gros ou un petit ?

— Oh, un petit ! Je suis au régime.

•

Quelles sont les lettres préférées des dieux ?

D.S.

•

Deux copains se rencontrent.

— Hé ! C'est toi qui as dit à Guillaume que j'étais un imbécile ?

— Non, pas du tout ! Moi, je sais garder un secret !

•

Qui gagne sa vie sans jamais travailler une seule journée ?

Le gardien de nuit.

•

— Garçon! Il y a une mouche dans ma soupe.

— Oups! Je vous envoie une araignée tout de suite!

•

— J'ai donné un surnom à mon frère.

— Qu'est-ce que c'est?

— Je l'appelle Oignon.

— Mais pourquoi?

— Parce qu'il me fait toujours pleurer!

•

Le prof: Comment appelle-t-on un homme qui tue son père?

L'élève: Un parricide.

Le prof: Comment appelle-t-on un homme qui tue son frère?

L'élève: Un fratricide.

Le prof: Comment appelle-t-on un homme qui tue son beau-frère?

L'élève: Un insecticide.

Le prof: Hein! Comment ça?

L'élève: Mais oui, parce qu'il tue

l'époux de sa sœur!

•

Quelle est la meilleure façon d'embêter un chauve?
Lui raconter une histoire à faire dresser les cheveux sur la tête.

•

— Tu connais le comble de la volonté?
— Non.
— C'est de voir un plat d'arachides et de n'en manger qu'une seule!

•

— Sais-tu comment s'appelle le journal publié dans le Sahara?
— Non.
— L'HEBDROMADAIRE.

•

Qu'est-ce qu'un voleur prend toujours en dernier?
La fuite.

•

Que lisent les kangourous?
Des livres de poche.

•

Le prof : Les élèves, je vous avertis!
Si vous voulez être riches, fermez-vous
la trappe!
Les élèves : Pourquoi?
Le prof : Parce que le silence est d'or!

•

Quel poulet n'est jamais en retard?
Le poulet pressé.

•

Martin : Demain, c'est la fête de ma
sœur.
Laurent : Est-ce que tes parents lui
ont acheté un cadeau?
Martin : Oui, un jeu de pâte à mode-
ler.
Laurent : Est-ce que ça va être une
surprise?
Martin : Je comprends! Elle est cer-
taine qu'ils vont lui donner un ordinateur!

•

Le prof : Thomas, tu ne m'écoutes pas !

Thomas : Oui, oui, je vous écoute.

Le prof : Alors pourquoi tu bâilles ?

Thomas : C'est justement parce que je vous écoute !

●

La mère : Qu'est-ce que tu as appris en classe aujourd'hui ?

Émilie : On a appris à faire de la dynamite.

La mère : Vous avez fait ça dans l'école ?

Émilie : L'école ? Quelle école ?

●

— Vous aimeriez que je vous engage dans ma troupe de patineurs ?

— Oh oui !

— Et qu'est-ce que vous faites de spécial ?

— Je trace des huit avec mes patins !

— Mais voyons, monsieur ! Tous les patineurs savent faire ça !

— Oui, mais moi, je fais un trois avec mon pied gauche et un cinq avec mon pied droit !

•

Deux grenouilles traversent la rue. L'une dit à l'autre :
— Attention ! Voilà un rouleau comprrrrr...

•

Comment peut-on différencier une boîte de soupe aux tomates et une boîte de soupe aux nouilles ?
En lisant l'étiquette !

•

— Quelle heure est-il lorsque Dracula sort de son cercueil ?
— Je ne sais pas.
— C'est l'heure de prendre ses jambes à son cou !

•

C'est l'heure du dîner :

— Maman, pourquoi tu me demandes toujours de me laver les mains avant les repas ? Tu n'as jamais remarqué que je mange toujours avec une fourchette et un couteau ?

•

Jessica : Aimes-tu les olives ?

Caroline : J'adore ça ! C'est un vrai délice !

Jessica : Ouache ! Comment tu fais pour manger ça ?

Caroline : Très simple ! J'ouvre la bouche, je mets une olive dedans, je mâche et j'avale !

•

Pourquoi la poule a-t-elle traversé la rue ?

Pour aller de l'autre côté.

•

Annie : Sais-tu ce que j'aime le plus quand je me réveille le samedi matin ?

Julie-Anne : Non.

Annie : C'est de savoir que je peux me rendormir !

•

Au restaurant :
— Garçon, il y a un maringouin dans ma soupe !
— Oh ! Je suis désolé, monsieur, mais toutes les mouches sont déjà prises !

•

— Hier soir, je me suis mis à m'imaginer qu'il y avait un gros monstre sous mon lit. Soudainement, il me sautait dessus et commençait à m'arracher les cheveux un à un. Moi je me débattais, mais il ne me laissait pas me libérer !
— Pauvre toi, qu'est-ce que tu as fait ?
— J'ai arrêté de m'imaginer !

•

Deux nigauds discutent :
— Pourquoi tu n'arrêtes pas de

claquer des doigts comme ça ?

— C'est pour éloigner les éléphants.

— Mais il n'y a pas d'éléphants ici !

— Ça marche, hein ?

●

— Comment s'appelle l'homme le plus peureux de la Terre ?

— Je ne sais pas.

— Paul Tron.

●

Samuel et sa mère s'en vont prendre une petite gâterie au restaurant.

— Vous aimeriez un dessert ? demande le serveur.

— Oui ! répond la mère. Avez-vous de votre délicieux gâteau au chocolat ?

— Oh... je suis désolé, chère madame. Il ne m'en reste qu'un morceau !

— C'est donc dommage, hein, maman ! dit Samuel. Qu'est-ce que tu vas prendre à la place ?

●

— Sais-tu comment faire pour savoir où se trouve la tête d'un ver de terre ?

— Non.

— Tu le chatouilles et tu regardes de quel côté il rit !

•

Le frère : Pourquoi tu traînes toujours une serviette quand tu vas demander à papa si tu peux rentrer plus tard ?

La sœur : Parce que je sais que je vais essuyer un refus !

•

Quand elle tombe, on ne peut pas la ramasser. Qui est-ce ?

La pluie.

•

Qui a la tête la plus écervelée ?

Line Hotte.

•

Le serveur : J'ai des pattes de cochon, une langue de bœuf, un foie de poulet et des doigts de dame.

Le client : Pauvre vous ! Ça doit aller mal pour travailler !

•

— L'autre jour, à l'aéroport, j'ai vu un pilote d'avion complètement ivre.

— Qu'est-ce qui te fait dire qu'il était ivre ?

— Il lançait des miettes de pain aux avions...

•

Quelle est l'épice préférée des dentistes ?

Le cari.

•

Émilie : Aujourd'hui, c'est moi qui ai été la meilleure à l'école.

La mère : Ah oui ? Je te félicite ! Qu'est-ce que tu as fait ?

Émilie : La maîtresse nous a demandé combien il y avait de mois dans l'année et j'ai répondu onze.

La mère : Mais voyons ! Il y en a douze !

Émilie : Oui, mais moi j'ai donné la réponse la plus proche !

•

— Moi, mes parents, ils ne savent pas ce qu'ils veulent !

— Pourquoi tu dis ça ?

— Parce qu'aussitôt que je fais la moindre petite niaiserie, ils m'envoient tout de suite dans ma chambre. Mais si je passe cinq minutes tranquille, ils me demandent aussitôt si je ne suis pas malade !

•

Comment fait-on pour mettre un éléphant dans une bouteille d'aspirine ?

On enlève d'abord les aspirines.

•

À l'heure du dîner, maman canni-bale demande à ses enfants :

— Vous aimez bien votre pro-fesseur, n'est-ce pas ?

— Oh oui, maman !

— Bon, alors qui va en reprendre ?

•

L'histoire se passe au restaurant.

Le client : Est-ce que vous servez des nouilles ?

Le serveur : Oui, monsieur. Nous servons tout le monde !

•

— Connais-tu la blague de l'auto-bus ?

— Non.

Trop tard, il est déjà passé !

•

François arrive à l'école, l'air com-plètement découragé.

— Qu'est-ce qui se passe, Fran-çois ? lui demande son professeur.

— C'est ma chienne. Elle a eu des bébés cette nuit.

— Mais tu avais l'air si content hier, quand tu nous disais que vous alliez avoir des petits chiots! Ça ne te fait pas plaisir?

— Non. Moi je voulais avoir un berger allemand, et elle a eu rien que des caniches!

•

Qu'est-ce qui a deux yeux qui tournent sans arrêt, une bouche rectangulaire mais pas de nez?

Une cassette!

•

Serge est installé devant un gigantesque morceau de gâteau.

— Tu vas manger ça tout seul? lui demande sa sœur.

— Non, non. Je vais aussi prendre un verre de lait.

•

Qu'est-ce qui est vert et qui saute à toutes les cinq secondes?

Une grenouille qui a le hoquet!

•

— Il n'y a que les fous qui sont certains. Les gens intelligents peuvent avoir des doutes.

— Tu es sûr de ça?

— Je suis certain!

•

Coco, le mille-pattes, s'en va chez le médecin.

— J'ai une patte qui me fait mal, docteur!

— Pauvre petit! Dis-moi vite laquelle, je vais regarder ça tout de suite!

— C'est ça le problème! Je ne peux pas vous le dire! J'ai juste appris à compter jusqu'à vingt...

•

Qu'est-ce qu'on peut porter aussi bien dans ses pieds que dans ses bras?
Un ballon (bas long).

•

Pourquoi il vaut mieux ne jamais raconter de blagues à un ballon?
Parce qu'il pourrait éclater de rire!

•

Comment faire pour arrêter une mouffette de sentir?
On lui met une épingle à linge sur le nez.

•

Qui est l'aumônier de l'alphabet?
L'abbé Cédé.

•

Qui a le plus gros casque protecteur dans la Ligue nationale de hockey?
Celui qui a la plus grosse tête!

•

Deux voisins discutent:

— Depuis quelques semaines, il y a des mulots qui font des trous dans ma cour. Je ne sais pas comment m'en débarrasser!

— J'ai un bon truc pour toi. Dans quatre jours, je te garantis que tes mulots seront exterminés!

— Wow! Comment faut-il s'y prendre?

— C'est simple. Les trois premiers jours, tu mets une banane et une pomme à côté du trou. Le quatrième jour, tu ne mets que la banane. Tu t'installes près du trou et tu attends quelques minutes. Aussitot que le mulot se sort le nez pour demander où est la pomme, tu l'assommes!

•

— Connais-tu l'histoire de l'éléphant qui marchait dans un champ de pommes de terre?

— Non.

— Il a inventé les patates pilées...

•

— Maman, est-ce que c'est vrai que je suis différent des autres?

— Mais non, mon chéri. Ferme tes trois petits yeux et dors!

•

Quelle est la différence entre un éléphant et une tartine de beurre d'arachide?

L'éléphant ne colle pas au palais, lui!

•

Monsieur Tardif va consulter une voyante qui lit dans une boule de cristal:

— Alors, monsieur, j'imagine que vous voulez connaître votre avenir?

— Non, mon passé. J'ai perdu la mémoire!

•

Quelle est la meilleure façon d'attraper les écureuils?

Grimper dans un arbre et imiter une arachide!

•

Deux vaches discutent :

— Sais-tu ce qui est arrivé à Blanchette ? Elle a tellement maigri !

— Je crois qu'elle s'est mise au régime. Elle ne mange que des trèfles à quatre feuilles !

●

— Je voulais regarder une super-émission hier soir, mais mes parents m'ont envoyé me coucher ! Et toi ?

— Ma mère s'est endormie en me racontant une histoire et je suis retourné à la télé !

●

Le médecin : Quel est votre problème, madame ?

La patiente : Je me prends pour un chat.

Le médecin : Et ça fait longtemps ?

La patiente : Depuis que je suis tout petit chaton !

●

Pascal : As-tu écrit au Père Noël ?

Kim : Oui, je lui ai envoyé ma lettre la semaine dernière.

Pascal : Et qu'est-ce que tu lui demandes ?

Kim : Je lui ai demandé de passer plus souvent !

•

— Hier soir, j'ai demandé à mes parents s'ils voulaient me donner une allocation.

— Qu'est-ce qu'ils ont répondu ?

— Ils ont dit qu'ils allaient m'en donner une à l'occasion !

•

Mathieu et sa sœur Geneviève sont sortis pour la fin de semaine.

Geneviève : As-tu pensé à nourrir les poissons ?

Mathieu : Oui, mais j'ai complètement oublié de leur donner à boire !

•

Quelle est la lettre la plus dangereuse ?

La lettre H.

•

— Ça prend trois nigauds pour changer une ampoule.

— Ah oui ?

— Un pour la tenir, et deux autres pour tourner l'escabeau.

•

Un Martien arrive sur la Terre près d'une station-service. Apercevant une pompe à essence, il s'en approche et dit :

— Pourriez-vous enlever votre doigt de votre oreille pendant que je vous parle !

•

À l'hôtel.

— Bonjour, je voudrais louer une chambre.

— Il n'en reste qu'une monsieur, mais elle est hantée. C'est la chambre 13, au 13e étage.

— Je n'ai pas peur.

Il monte se coucher. À minuit, il entend : « Je suis le fantôme aux doigts de sang ! » Le pauvre homme se jette par la fenêtre.

Le lendemain, un jeune garçon demande une chambre.

— Il n'en reste qu'une et elle est hantée. C'est la chambre 13, au 13e étage.

— Je n'ai pas peur !

Il monte à sa chambre. À minuit, il entend : « Je suis le fantôme aux doigts de sang ! »

— Mets-toi donc un pansement ! répond le garçon.

•

Quel animal est le plus fort ?

— L'éléphant ?

— Non, la tortue ! Parce qu'elle transporte sa maison sur son dos !

•

L'homme invisible : Chérie, je ne t'ai pas trop manqué pendant mon absence ?

La femme invisible : Ah ! Tu étais parti ?

•

Le prof : Voyons, Martin ! Tu es en train de lire ton livre à l'envers !

Martin : Pas mal, hein ? À l'endroit, il n'y a plus de défi, tout le monde sait faire ça !

•

Drrrring !

— Allô ?

— Docteur ! Docteur ! Il ne me reste que 59 secondes à vivre !

— Une minute, j'arrive !

•

Au restaurant :

— Garçon ! mon homard n'a qu'une pince !

— Je suis désolé, cher monsieur, il a dû se battre dans l'aquarium.

— Ah bon ? Alors, apportez-moi donc le vainqueur !

●

— Mon père a passé toute la nuit à étudier.

— Pourquoi ?

— Il avait un test de sang ce matin !

●

— Tu connais la chanson « Qui a le droit » ?

— Oui.

— C'est bien beau ça, mais est-ce que quelqu'un sait qui a le gauche ?

●

La mère : Est-ce que tu t'entends bien avec ton amie Martine ?

Pauline : Non.

La mère : Pourquoi ?

Pauline : Quand on joue au Mono-poly, c'est toujours elle qui gagne.

La mère : Et ta copine Rosanne, tu l'aimes ?

Pauline : Ah, oui par exemple ! Elle, je la bats tout le temps !

•

Que dit le porc-épic au cactus ?
— ... Maman ?

•

Pourquoi les éléphants portent-ils des bas bleus ?
Parce que des blancs, c'est trop salissant.

•

Étienne : Papa, est-ce que ça coûte cher la moutarde ?
Le père : Non.
Étienne : Ah bon ! Alors je me demande pourquoi maman a crié si fort quand j'ai renversé la bouteille de moutarde sur mon chandail !

•

— Connais-tu la blague de la tortue ?
— Non.

— Minute, elle n'est pas encore arrivée !

•

Le psychiatre : Quel est ton problème ?

Zoé : J'aime mieux les bas de coton que les bas de laine.

Le psychiatre : C'est ça ton problème ? Mais ma pauvre, des milliers de personnes préfèrent les bas de coton ! Moi-même, c'est ce que je préfère !

Zoé : Ah oui ! Et vous les aimez comment ? Avec du ketchup ou de la moutarde ?

•

— Qu'est-ce qui est soit jaune, soit rouge, soit vert, et qui peut aller dans l'eau sans se mouiller ?

Une pomme dans un sous-marin !

•

Éric est en train d'écrire à sa petite cousine.

— Pourquoi tu écris aussi lente-
ment ? lui demande son copain.

— C'est parce que ma cousine
vient juste de commencer l'école, et
elle ne lit pas encore très vite !

•

Quelle est l'opération qu'on ne fait
jamais dans les hôpitaux ?

L'opération Nez-rouge !

•

— Mes voisins forment le couple
idéal.

— Comment ça ?

— Elle, elle est prof de mathématiques. Et lui, il est plein de problèmes !

•

Deux microbes discutent :

— Salut mon vieux ! Tu n'as pas l'air
en forme, qu'est-ce qui se passe ?

— Bof, ça ne va pas. Je pense que
j'ai attrapé un antibiotique !

•

Le directeur du cirque : Alors, vous faites des imitations d'oiseaux.

L'artiste : Absolument, monsieur.

Le directeur : Et quel genre d'imitations ?

L'artiste : Je mange des vers.

•

Francis fait du camping sauvage avec son père.

— Papa, t'as vu ? Je crois que les anges ont mangé la moitié de la lune !

•

— Papa, comment il fonctionne notre cœur ?

— Je ne sais pas.

— Et nos poumons, à quoi ils servent ?

— Je ne sais pas.

— Papa, comment ça se fait qu'on a deux reins ?

— Je ne sais pas.

— Papa, est-ce que je t'embête avec mes questions ?

— Non, pas du tout! Continue à poser des questions, c'est comme ça que tu vas t'instruire...

•

— À quel moment ça porte vraiment malheur de croiser un chat noir?
— Je ne sais pas.
— Quand on est une souris!

•

Une souris et un éléphant s'apprêtent à aller patiner sur un lac. L'éléphant est un peu inquiet.
— Attends! lui dit la souris. Je vais y aller en premier pour voir si la glace est solide!

•

À la campagne:
— Vite, Donald! Va dire à la voisine que ses quatre vaches sont sorties de l'enclos!
Donald part à toute vitesse, mais en chemin, il oublie le message que sa

mère lui a dit de faire. Il revient donc à la maison :

— Maman, qu'est-ce que tu veux que je dise à la voisine ?

— Dis-lui que ses quatre vaches se sont sauvées !

Il repart, oublie encore son message et revient voir sa mère.

— C'est la dernière fois que je te le répète ! Va dire à la voisine que ses quatre vaches sont sorties de l'enclos !

Donald prend ses jambes à son cou, arrive chez sa voisine.

— Madame la vache, vos quatre voisines sont sorties de l'enclos !

•

— Est-ce que tu voudrais me donner ta photo ?

— Ma photo, avec plaisir ! Je suis flattée ! Où vas-tu l'accrocher ?

— Oh, je pensais la mettre dans le jardin pour faire peur aux oiseaux !

•

— Mon voisin veut entrer dans la marine.

— J'espère qu'il sait nager, au moins !

— Quoi, il n'y a plus de bateaux ?

•

La prof : Quelle est la moitié de 8 ?

Patricia : Verticalement ou horizontalement ?

La prof : Qu'est-ce que tu veux dire ?

Patricia : Ben, horizontalement, c'est o. Et verticalement, c'est 3 !

•

Quel est le sujet de conversation préféré des archéologues ?

Le bon vieux temps !

•

Je suis un nez qui manque d'air.

Un nez-tranglé.

•

La patiente : Docteur, j'ai tendance à engraisser à certains endroits. Qu'est-ce que je devrais faire ?

Le docteur : Tenez-vous loin de ces endroits !

•

Le journaliste : Comment vous sentez-vous avant un combat ?

Le boxeur : O.K.

Le journaliste : Et comment vous sentez-vous après le combat ?

Le boxeur : K.-O.

•

— Mon cher monsieur, pourquoi n'êtes-vous pas venu me voir plus tôt ?

— Je ne pouvais pas, docteur, j'étais malade !

•

Le père : Alexis ! Je t'ai demandé d'arroser le gazon tous les matins pendant les vacances !

Alexis : Mais papa ! Il pleut !

Le père : Pas grave ! Mets ton imperméable !

●

— Tu sais ce qu'il y a dans le mois de décembre qu'on ne retrouve pas dans les autres mois ?
— Non, quoi ?
— La lettre d.

●

Le magicien : J'ai un tour sensationnel à vous proposer.

Le directeur du cirque : Qu'est-ce que c'est ?

Le magicien : Ça se fait avec un chapeau et un lapin.

Le directeur : Mais mon pauvre monsieur, j'ai vu ça des centaines de fois !

Le magicien : Oui, mais dans mon tour, c'est le lapin qui tient la baguette et c'est moi qui sors du chapeau !

●

C'est quelque chose qui m'appartient mais que les autres utilisent plus que moi.

Mon nom.

●

Le juge : Du calme, s'il vous plaît ! Le prochain qui crie, je le fais jeter dehors !

Le prisonnier : YAHOU ! YOUPI !

●

Deux nigauds discutent :

— Est-ce que tu sais ce que c'est que les petites lumières qui brillent dans le ciel ?

— Oui, ce sont les lampes de poche des extraterrestres !

●

Pourquoi les chirurgiens mettent-ils toujours des gants quand ils opèrent ?

Pour ne pas laisser d'empreintes digitales.

●

Qu'est-ce qui est noir et blanc et qui fait beaucoup de bruit ?
Un zèbre qui joue de la batterie.

●

Olivier s'en va au magasin de jouets et achète un superbe casse-tête.

De retour à la maison, il s'installe dans sa chambre et ouvre la boîte. Surprise ! Elle est vide ! Il retourne aussitôt voir l'employé qui lui a vendu ce satané casse-tête !

— Mais, lui dit le vendeur, vous m'aviez pourtant demandé un casse-tête sans morceaux !

●

Comment faire pour savoir s'il y a un éléphant dans le frigo ?

On regarde s'il y a des traces de pas dans le Jell-o !

●

Patrice et Sébastien habitent sur la même rue et ne s'entendent pas très bien.

Patrice : La nuit dernière, j'ai rêvé qu'il y avait quelque chose chez toi qui me rendait tellement heureux !

Sébastien : Ah oui ? Qu'est-ce que c'était ?

Patrice : Un camion de déménagement !

●

Trois copains s'en vont au dépanneur.

— Je voudrais 10 bâtons de réglisse.

L'homme au comptoir prend son escabeau pour aller chercher la boîte de réglisse sur la dernière tablette. Il descend, compte les dix bâtons et va remettre la boîte à sa place. Il demande ensuite au deuxième copain ce qu'il veut.

— Moi aussi je voudrais 10 bâtons de réglisse.

L'homme remonte dans l'escabeau, descend la boîte et compte la réglisse. Puis, juste au moment de remonter, il s'arrête, se retourne et demande au troisième copain :

— Dis donc, est-ce que tu veux 10 bâtons de réglisse toi aussi ?

— Non.

Alors l'homme remonte ranger la boîte, redescend et met l'escabeau à sa place. Puis il se tourne vers le troisième copain et lui demande :

— Alors, qu'est-ce que je peux faire pour toi ?

— Je voudrais 20 bâtons de réglisse.

●

— Ma sœur est tellement dans la lune que quand je lui parle, ça rentre par une oreille et ça sort par l'autre.

— Ah oui ! Moi, ma sœur, elle est tellement rapporteuse que, quand je lui parle, ça rentre par une oreille et ça sort par la bouche !

●

— Quelle est la différence entre une tomate, un léopard et une coquille d'œuf ?

— Je ne sais pas.

— La tomate est achetée à l'épicerie, le léopard est tacheté sur le dos et la coquille d'œuf est à jeter à la poubelle !

•

— Sais-tu de quelle façon commençaient les histoires qu'Adam et Ève racontaient à leurs enfants ?
— Non.
— Il sera une fois.

•

La prof : Qu'est-ce qu'une fourmi ?
Geneviève : C'est quelque chose qui arrive toujours en quantité industrielle chaque fois qu'on s'installe pour faire un pique-nique.

•

— Qu'est-ce qui est vert, gluant, qui vit dans les mares et est très dangereux ?
Une grenouille armée d'une grenade.

•

Jessica : Mon prof parle tout seul. Est-ce que le tien fait ça ?

Sara : Oui, lui aussi croit qu'on l'écoute !

●

— Quand est-ce qu'il est dangereux pour un Martien de se promener en soucoupe volante ?

— Je ne sais pas.

— Quand il n'est pas dans son assiette.

●

Quel est l'objet défectueux pour lequel aucun client n'est jamais venu se faire rembourser ?

Un parachute !

●

Au restaurant :

— Garçon, apportez-moi un sandwich à la relish avec du pain blanc.

— Pardon ? Franchement, monsieur ! Ça prend vraiment un imbécile pour manger un sandwich à la relish avec du pain blanc !

— Ouais, vous avez raison ! Faites-le-moi plutôt avec du pain brun !

•

Esther apprend le violon. Sa voisine vient l'écouter.

— Est-ce que tu aimes le son du violon ? demande Esther.

— Oui, mais ça ne fait rien. Tu peux continuer à jouer quand même !

•

À quel moment est-ce le plus difficile d'être le fils d'un cuisinier ?

— Je ne sais pas.

— Quand il n'est pas dans son assiette !

•

Combien de mois ont vingt-huit jours ?

Bien voyons, tous les mois ont vingt-huit jours !

•

Un astronaute communique avec la NASA :

— Tour de contrôle ! Un extraterrestre est en train de me photographier ! Qu'est-ce que je dois faire ?

— Fais-lui un beau sourire !

•

Qu'est-ce qui a quatre jambes mais ne peut pas marcher ?

Deux pantalons.

•

La prof : Est-ce que ça vous arrive d'aider vos parents à la maison ?

Claudiane : Oui. Moi j'ai aidé ma mère à faire la cuisine hier soir.

La prof : C'est très bien ça ! Qu'est-ce que tu as fait ?

Claudiane : Eh bien, ma mère, elle, a coupé les oignons, et moi, j'ai pleuré !

•

— Savais-tu que mon frère a fait des mathématiques en cours du soir ?

— Non. Est-ce que ça s'est bien passé ?

— Pas vraiment, il a coulé.

— Comment ça ?

— Il s'était acheté une calculatrice à énergie solaire !

●

Le prof : Qu'est-ce que tu fais avec tout ce fromage sur ton ordinateur ?

Bastien : Ben... hier, vous avez dit qu'on travaillerait avec une souris.

●

Sais-tu pourquoi le ciel est si haut ?

— Non.

— Pour ne pas que les oiseaux se cognent la tête.

●

— Combien de temps peut vivre une souris ?

— Ça dépend des chats !

●

— Tu connais le plat national des cannibales ?

— Non.

— Le croque-monsieur !

•

Hemma : Moi, je peux lire dans les pensées.

Josée : Ah oui ! Alors à quoi je pense en ce moment ?

Hemma : Hum... désolée, je ne peux pas répondre ! C'est écrit trop petit !

•

La prof : Quel âge as-tu eu à ton dernier anniversaire ?

Judith : 8 ans.

La prof : Et quel âge auras-tu à ton prochain anniversaire ?

Judith : 10 ans.

La prof : Voyons, Judith, c'est impossible !

Judith : C'est très possible. J'ai eu 9 ans aujourd'hui !

•

Qu'est-ce qu'on brise quand on prononce le mot « marteau » ?

Le silence !

•

Françoise fait une randonnée pédestre à la campagne. Sur son chemin se trouve une petite rivière. Elle se demande bien si elle peut la traverser.

— Pardon, monsieur ! dit-elle à un vieux fermier qui passe par là. Croyez-vous que je peux traverser la rivière à pied ?

— Oh oui ! Ce n'est pas creux du tout !

— Merci !

Et elle entre dans la rivière. À quelques mètres du bord, la voilà qui s'enfonce jusqu'au cou !

— Franchement, monsieur, lui crie-t-elle, fâchée. Pourquoi vous m'avez fait croire que la rivière n'était pas profonde ?

— C'est bizarre, ça ! Pourtant, les canards n'en ont pas plus haut que le milieu du ventre !

•

Sylvain : Je pense que je vais envoyer mon examen de mathématiques chez le psychologue.

Benoit : Pourquoi ?

Sylvain : Je n'arrive pas à résoudre ses problèmes.

•

— Quand je me suis assis au piano pour mon concert, tout le monde a ri de moi.

— Pourquoi ? Tu as si mal joué ?

— Non, il n'y avait pas de banc...

•

Un monsieur se promène sur la route entre Montréal et Québec en regardant toujours par terre. Un policier s'arrête près de lui et lui demande ce qu'il fait.

— Je cherche ma montre.

— C'est ici que vous l'avez perdue ?!!!

— Non, à Montréal, mais quand je l'ai perdue, elle marchait !

•

Pascale : Sais-tu quelle est la différence entre mon petit frère et un suçon ?

Ramon : Non.

Pascale : Il n'y en a pas, les deux sont collants !

●

Pourquoi les éléphants ont-ils une mauvaise vue ?

Parce qu'ils ont des « défense d'y voir ».

●

— Sais-tu ce que Beethoven a fait pour être sûr d'entendre arriver ses visiteurs ?

— Non.

— Il s'est installé une sonate.

●

La mère : Si le voisin n'arrête pas sa tondeuse tout de suite, je pense que je vais devenir complètement folle !

La fille : Maman, je pense qu'il est

trop tard! Ça fait une demi-heure qu'il l'a arrêtée...

•

Si les poissons sont toujours dans l'eau, pourquoi ils ne rouillent pas?

•

Le patron: Je vous engage, vous commencez dans une heure.

Le gardien de nuit: Je suis très heureux!

Le patron: Est-ce que je peux vous offrir un café?

Le gardien de nuit: Non merci, ça m'empêche de dormir!...

•

— Quel est ton plat préféré?
— Quoi! Tu manges des plats, toi?!

•

— Mon médecin m'a prescrit des pilules pour mes problèmes de mémoire.

— Est-ce que ça t'a fait du bien ?

— Je ne pourrais pas vraiment le dire, je n'ai pas pensé une seule fois de les prendre...

•

Où peut-on voir écrit : « Après la pluie, le beau temps » ?

Ici, sur cette page.

•

Un crayon dit à un autre :
— Tu as mauvaise mine, ce matin !

•

Offre d'emploi :
Compositeur recherche secrétaire connaissant bien la sténo.
Fonctions : Prendre des notes.

•

Quelle est la plus haute forme de vie animale ?
La girafe.

•

Le client : Y a-t-il de la soupe sur le menu ?

Le serveur : Il y en avait, mais je l'ai essuyée !

●

Que demande un fantôme à un autre fantôme ?
Est-ce que tu crois aux gens ?

●

De quoi les marathoniens ont-ils le plus besoin durant la course ?
D'eau courante.

●

Qu'est-ce qui n'a pas de jambes mais qui pourtant court très vite ?
Une rumeur.

●

Au restaurant :
— Garçon ! Je n'ai réussi à trouver aucun fruit de mer dans ma soupe aux fruits de mer ! Vous trouvez ça normal ?
— Écoutez, monsieur, si je vous donne un gâteau des anges, allez-vous me demander où sont les anges ?

●

Pourquoi les éléphants sont-ils gris?

Pour qu'on les différencie des perruches.

•

Drrrring!

— Air Aviation, bonjour!

— Bonjour, madame, j'aimerais savoir quelle est la durée du vol pour Paris.

— Une minute, monsieur...

— Merci beaucoup, madame.

•

Qu'est-ce qui est petit, jaune et très dangereux?

Un poussin avec une mitraillette.

•

Comment se déplacent les sorcières modernes?

Elles volent sur un aspirateur!

•

Le prof : Votre fils a tout pour devenir médecin.

La mère : Comment ça ?

Le prof : Personne n'est capable de lire ce qu'il écrit !

•

Quelle est la différence entre un biscuit et un éléphant ?

On ne peut pas tremper un éléphant dans un verre de lait.

•

Deux hommes des cavernes discutent :

— Je me suis fait tout un mal de dos à la chasse au dinosaure.

— Qu'est-ce qui t'est arrivé ? Un dinosaure t'est tombé dessus ?

— Non, je me suis fait ça en transportant le piège.

•

Deux copines discutent :

— Est-ce que tu veux qu'on aille jouer chez moi ?

— Comme tu veux!

— Je commence à être pas mal tannée que tu me répondes toujours « Comme tu veux ». C'est toujours moi qui décide. Qu'est-ce que tu dirais de commencer à prendre des décisions?

— Comme tu veux!

•

Au restaurant:

— Alors, ça vient, ce potage maison?

— Tout de suite, monsieur, je cherche l'ouvre-boîte!

•

Que faire quand on aperçoit un monstre vert?

Attendre qu'il mûrisse.

•

— Je connais des gens qui aiment beaucoup mieux donner que recevoir.

— Ah bon! Ce sont des personnes de ta famille?

— Non, ce sont des boxeurs!

•

— Maman, est-ce que le Bon Dieu utilise notre salle de bains?

— Mais non, chéri. Pourquoi cette question?

— Bien, tous les matins, papa frappe à la porte de la salle de bains et dit: Bon Dieu, es-tu encore là?

•

Un automobiliste était en panne sur une petite route de campagne. Comme il se penchait au-dessus du moteur pour tenter de découvrir le problème, une vache s'arrêta à ses côtés, le regarda un instant et lui dit:

— Votre problème en est probablement un de carburateur.

Étonné, l'automobiliste se mit à courir vers une ferme située non loin de là. Il raconta son aventure au fermier.

Ce dernier lui demanda:

— La vache avait-elle une grande tache brune et blanche au-dessus de l'œil gauche ?

— Oui, oui ! s'écria l'automobiliste.

— Alors, ne vous en faites pas, c'est la vieille Caillette et elle n'y connaît rien en mécanique !

•

Une équipe de tournage se trouvait loin dans le désert. Un jour, un vieux Bédouin se présenta au directeur et lui dit :

— Demain, pluie.

Le lendemain, il pleuvait.

Une semaine plus tard, le Bédouin avisa le directeur :

— Demain, tempête de sable.

Le lendemain, une tempête de sable s'abattait sur la région.

— Ce Bédouin est incroyable, de dire le directeur à sa secrétaire. Nous allons l'engager pour nous prédire la température au cours du tournage.

Après avoir prédit correctement la

température à plusieurs occasions, le Bédouin disparut durant deux semaines. Après l'avoir retrouvé, le directeur lui fit savoir qu'il avait une scène très importante à tourner le lendemain et qu'il lui fallait connaître le temps qu'il ferait.

Le Bédouin haussa les épaules :

— Je ne peux vous prédire le temps qu'il fera parce que ma radio est hors d'usage.

•

Une affiche vue à l'extérieur d'un planétarium : DES MILLIARDS DE FIGURANTS, TOUS DES ÉTOILES.

•

Le fiston : Maman, je te promets de ne plus faire de gageure d'argent avec mes camarades.

La maman : Je ne te crois pas.

Le fiston : Veux-tu gager un dollar ?

•

— Connais-tu le gag au sujet de l'abominable Homme des neiges?

— Ces histoires me laissent froid.

•

— Qu'est-ce qui est plus difficile à faire que de brosser les dents à un requin?

— Lui enlever les amygdales.

•

Deux grosses tortues et une petite étaient assises au comptoir en train de siroter une bière d'épinette. Il se mit à pleuvoir. On décida que la petite tortue, plus rapide que les grosses, irait à la maison chercher un parapluie.

— J'accepte, dit la petite, mais à la condition que vous ne buviez pas ma bière pendant mon absence.

— D'accord! firent les deux grosses.

Trois jours plus tard, une des grosses tortues dit à l'autre:

— Je commence à avoir soif.

Buvons la bière de la petite avant son retour.

— Bonne idée, fit l'autre.

Au même moment, un cri se fit entendre du fond de la salle :

— Eh, vous autres, si vous buvez ma bière, je n'irai pas chercher le para-pluie !

•

Ti-Jos : Tu joues aux échecs avec ton chien ? Ce doit être un animal extraordinaire !

Ti-Paul : Pas vraiment. Je le bats presque tout le temps.

•

Roland : Mon arrière-grand-père s'est battu contre Napoléon, mon grand-père contre les Français, mon père contre les Américains.

Omer : Dis donc, ta famille est en brouille avec tout le monde !

•

Le prof : Je vous conseille fortement de faire de la natation. C'est le meilleur exercice pour conserver votre taille mince.

Simon : Comme les baleines, monsieur ?

●

Deux explorateurs, dans la jungle, se retrouvent face à un lion féroce.

— Conserve ton calme, dit l'un à l'autre, tu te souviens du livre que nous avons lu sur le comportement à adopter dans de telles circonstances : Tu demeures immobile, tu le regardes dans les yeux et il va s'éloigner.

— Ç'est bien beau ta façon d'aborder le problème, mais es-tu certain que le lion a lu le même livre que nous ?

●

L'écologie, c'est vraiment le problème de tous et chacun. Un de mes amis est allé voir un médecin pour se faire enlever de l'eau dans un genou.

Le test de laboratoire a révélé que l'eau était polluée.

•

Le patient : Vous aviez raison, docteur, quand vous m'avez dit que je marcherais en peu de temps.

Le docteur : J'en suis très heureux, et depuis quand marchez-vous ?

Le patient : Depuis que j'ai vendu mon auto pour payer vos honoraires.

•

Le prof : Un plus un font deux, deux plus deux font quatre. Que font quatre plus quatre ?

Marc : Ce n'est pas juste, monsieur, vous répondez aux questions faciles et vous nous laissez les difficiles !

•

Rien ne peut être mauvais tout le temps. Une horloge brisée indique tout de même la bonne heure deux fois par jour.

•

Il faut tirer profit des erreurs des autres parce que l'on ne peut pas vivre assez vieux pour commettre toutes les erreurs soi-même.

•

Le client : Garçon, votre soupe aux pois a un goût de savon.

Le serveur : Excusez-moi, monsieur, j'aurais dû vous dire que l'on vous a servi une soupe à l'oignon, parce que notre soupe aux pois a un goût d'essence.

•

Simon : J'éprouve des difficultés avec l'eczéma.

Le prof : Pauvre toi ! Et à quel endroit fais-tu de l'eczéma ?

Simon : Je n'en fais pas, monsieur, j'ai de la difficulté à écrire ce mot correctement.

•

Une dame, fort énervée, téléphone à son médecin.

— Docteur, docteur, mon mari a avalé une souris. Que dois-je faire ?

— Tenez un morceau de fromage devant sa bouche en attendant mon arrivée, répond le médecin.

Quinze minutes plus tard, le médecin arrive chez la dame qui tient une sardine devant la bouche de son mari.

— Je vous avais dit d'utiliser un morceau de fromage, madame, pas une sardine !

— Je sais, docteur, mais avant la souris, je voulais faire sortir le chat.

•

— Savais-tu que ça prenait trois moutons pour faire un chandail ?

— Je ne savais même pas que les moutons savaient tricoter !

•

Le client : Avez-vous des cuisses de grenouille ?

Le serveur : Oui, monsieur.

Le client : Alors, bondissez dans la cuisine et allez me chercher un sandwich au jambon.

●

Trois hommes étaient assis sur un banc dans un parc public. Celui du centre lisait son journal. Les deux autres à ses côtés faisaient semblant de pêcher. Ils accrochaient un leurre imaginaire à leur ligne, exécutaient des lancers légers, ramenaient les poissons tout aussi sortis de leur imagination, relançaient leur ligne.

Un policier s'arrêta en voyant leur curieux manège. S'approchant, il demanda à celui qui lisait son journal s'il connaissait ses deux voisins. Ce dernier admit qu'ils étaient ses amis.

— Dans ce cas, fit le policier, vous feriez mieux de les faire sortir du parc.

— Oui, chef ! répondit l'homme, qui se mit à ramer comme un forcené.

●

Deux pigeons volaient au-dessus

d'un terrain de voitures d'occasion.
L'un dit à l'autre :

— Que dirais-tu de faire un dépôt
sur cette Cadillac ?

●

Junior : Papa, pourrais-je avoir un
autre verre d'eau ?

Le papa : Un autre ? C'est le dixième
que je te donne !

Junior : Je sais, mais ma chambre
est en feu !

●

Joe : Je suis très heureux, maman,
que tu m'appelles Joe.

Maman : Pourquoi dis-tu ça ?

Joe : C'est qu'à l'école, tout le
monde m'appelle Joe.

●

Le client : Ces chiens chauds ont
l'air dégueulasse.

Le serveur : Je n'y peux rien, monsieur, je ne suis que garçon de table,
pas vétérinaire.

●

Un touriste, visitant New York, s'arrête devant un restaurant et lit sur l'affiche dans la vitrine : « Notre chef peut vous préparer n'importe quel plat de votre choix. »

Il entre et demande au serveur un sandwich à la viande de kangourou. Cinq minutes plus tard, le serveur revient : Je suis désolé, monsieur, de ne pouvoir satisfaire votre demande, mais nous manquons de pain.

●

Un guide montrait les chutes Niagara à un touriste du Texas.

— Je parie que vous n'avez rien de semblable au Texas.

— Non, répond le Texan, mais nous avons des plombiers qui pourraient colmater cette fuite d'eau.

●

Un homme conduisait sa voiture sur une rue à sens unique, mais en direction opposée. Un policier l'arrête.

— C'est une rue à sens unique, l'ami, dit le policier.

— Je sais, répond l'automobiliste, je m'en vais dans une seule direction.

•

Il est tellement riche qu'il a acheté un petit garçon pour que ses chiens puissent s'amuser avec lui.

•

— Garçon, apportez-moi un café sans crème.

— Désolé, madame, nous manquons de crème. Puis-je vous servir un café sans lait ?

•

Le docteur : Voulez-vous aspirer et expirer trois fois.

Le patient : Voulez-vous vérifier l'état de mes poumons ?

Le docteur : Non, je veux simplement nettoyer mes lunettes.

•

Louis et Simon avaient reçu un toboggan comme cadeau de Noël. Après plusieurs heures passées à glisser sur la côte voisine, ils reviennent à la maison, Louis en pleurs.

— Écoute, Simon, dit le papa, je vous ai dit d'utiliser le toboggan chacun votre tour.

— Mais, c'est ce que j'ai fait, répond Simon. Je l'utilisais pour descendre la côte et je le remettais à Louis pour qu'il remonte.

●

Josée : Que vas-tu donner à ton jeune frère comme cadeau d'anniversaire ?

Janette : Je ne sais pas encore. L'an dernier, je lui avais donné les oreillons.

●

Le mari téléphone à sa femme de son bureau.

— J'ai deux billets pour la représentation de Broue.

— Merveilleux, je m'empresse de me préparer.

— C'est ça. Commence à te préparer, car les billets sont pour demain soir.

•

— Garde, avez-vous pris la température du patient ?

— Non, docteur, est-ce qu'elle a disparu ?

•

Pardonnez-moi, madame, dit le jeune homme dans la salle obscure du cinéma, est-ce que par hasard je vous ai marché sur les pieds, il y a quelques minutes ?

— En effet ! répliqua la dame assise sur le premier siège près de l'allée.

— Merci beaucoup, je suis donc dans la bonne rangée, reprit le jeune homme en se faufilant sur son siège.

•

À un moment crucial du film, les spectateurs sont dérangés par un vieil homme qui cherche quelque chose sur le plancher.

— Qu'avez-vous perdu? demande une dame irritée.

— Un caramel, répond le vieil homme.

— Un caramel? Et vous dérangez tout le monde pour un pauvre petit caramel? s'écrie la dame en colère.

— C'est que, voyez-vous, mes dents y sont collées!

CONCOURS

Tu dois connaître, toi aussi, de courtes histoires drôles. Alors, pourquoi ne pas nous en faire parvenir quelques-unes?

Parmi celles reçues, certaines seront retenues pour publication et l'auteur(e) recevra une surprise.

Participe le plus vite possible et envoie tes histoires drôles à:

CONCOURS HISTOIRES DRÔLES
Les éditions Héritage inc.
300, rue Arran
Saint-Lambert (Québec)
J4R 1K5

Nous avons hâte de te lire!

À très bientôt donc!

Payette & Simms inc.

Achevé d'imprimer en juin 1999 sur les presses de
Payette & Simms inc. à Saint-Lambert (Québec)